Dans la même collection :

Les animaux de la ferme
La jungle et la savane
Les bébés animaux sauvages
Les animaux de compagnie
La mer, les fleuves et les lacs
La montagne et la forêt
Le désert et la glace
Les dinosaures
Les animaux géants
Les animaux à protéger

Direction générale : Gauthier Auzou
Direction éditoriale : Aude Sarrazin
Texte : Francesca Chipponi, Marina Raffo et Patrick David.
Création graphique : Benjamin Rouffiac
Mise en page : Annaïs Tassone
Fabrication : Olivier Calvet
Crédits photographiques : Fotolia et Istockphoto.

ISBN : 978-2-7338-1705-6
Dépôt légal : juin 2011

SOMMAIRE

LE CARIBOU

Le CARIBOU est un grand cerf au pelage gris-brun qui vit en troupeau de milliers d'individus. Ses sabots très larges et poilus lui permettent de se déplacer sur la neige.

LE RENARD ROUX

Le RENARD ROUX est un mammifère très agile au museau pointu et aux grandes oreilles.
Il vit dans la forêt mais s'adapte à tous les milieux et peut s'aventurer près des villes.

LA MARMOTTE

La MARMOTTE est un rongeur qui possède des dents tranchantes. Elle hiberne pendant au moins 8 mois pendant lesquels son cœur et sa respiration ralentissent.

LE CERF DE VIRGINIE

Le CERF DE VIRGINIE a une queue blanche. Il vit en groupe dans les forêts, les prairies et les marais. Les mâles portent des bois pouvant atteindre 90 cm.

LE LOUP

Le LOUP est un mammifère carnivore qui vit et chasse en meute. À la naissance,
les louveteaux sont aveugles et ne se mettent sur leurs pattes qu'à partir du dixième jour.

L'ÉCUREUIL ROUX

Petit rongeur à la queue touffue, l'ÉCUREUIL ROUX vit dans les arbres mais descend souvent au sol. Il passe l'hiver à hiberner dans sa tanière après avoir fait d'importantes provisions.

L'OURS POLAIRE

Animal solitaire, l'OURS POLAIRE est un très bon nageur. C'est le plus gros et le plus fort des mammifères de l'Arctique. La femelle creuse une tanière pour abriter ses petits et hiberner.

L'OURS NOIR

Plus petit que son cousin le grizzli, l'OURS NOIR a un museau pointu brun et des pattes garnies de griffes. Solitaire, il habite les forêts des plaines mais surtout des montagnes.

LE RATON LAVEUR

Petit mammifère au manteau grisâtre et au masque noir, le RATON LAVEUR
doit son nom au grand soin qu'il met à « laver » sa nourriture.

LE CASTOR

Le CASTOR est un rongeur qui s'est adapté à la vie aquatique. Il construit sa tanière près de l'eau et sa queue plate recouverte d'écailles lui sert de gouvernail lorsqu'il nage.

LA LOUTRE

Bien qu'elle vienne souvent sur la terre ferme, la LOUTRE est très aquatique. Elle mange du poisson mais apprécie aussi les insectes, grenouilles, oiseaux et petits mammifères.

LE PHOQUE

Dans l'océan, le PHOQUE chasse des poissons et crustacés, et vient respirer grâce à un trou qu'il fait dans la glace. À la naissance, le pelage des petits est totalement blanc.

LA BALEINE BLEUE

La BALEINE BLEUE est un mammifère marin. Aujourd'hui en voie de disparition, c'est le plus gros animal de la Terre. Elle habite surtout les eaux froides, et même polaires.

LE BÉLUGA

Le BÉLUGA, aussi appelé « baleine blanche », habite les eaux très froides. Il vit en groupe et devient blanc à l'âge adulte. Cette espèce est très menacée par la pollution.

LA BERNACHE

La BERNACHE a le cou, la tête et le bec noirs. L'hiver elle migre vers des régions plus chaudes. Elle vit en couple et pond entre 5 et 7 œufs dans un nid d'herbe.

LE GEAI BLEU

Le plumage du GEAI BLEU est coloré de bleu et porte une bande noire qui lui dessine un collier. Cet oiseau commun en Amérique du Nord est bavard et pousse des cris puissants.

LE HARFANG DES NEIGES

Le HARFANG DES NEIGES chasse le jour et la nuit sur les terres arctiques où il vit.
Ses pattes sont recouvertes de plumes épaisses pour le protéger du froid.

LE OUAOUARON

Le OUAOUARON est l'une des plus grosses grenouilles du monde. Son nom vient du cri poussé par le mâle. Très vorace, il capture de nombreux petits animaux.

LE PETIT PINGOUIN

Le PETIT PINGOUIN vit en couple au sein d'immenses colonies. La femelle pond un œuf par an. C'est un excellent nageur et plongeur qui vit sur les falaises et les éboulis des rivages marins.

LE COLIBRI À GORGE RUBIS

Le COLIBRI À GORGE RUBIS doit son nom à la couleur rouge vif de la gorge des mâles.
Il construit son petit nid en haut des arbres et se nourrit du nectar des fleurs.

LE FAUCON PÈLERIN

Le FAUCON PÈLERIN est l'oiseau le plus rapide du monde. Il ne construit pas de nid mais vit sur les falaises. Sa vue perçante lui permet de repérer ses proies.

LE CARDINAL

Ce petit oiseau ne passe pas inaperçu : les plumes du mâle sont d'un beau rouge pourpre.
Le CARDINAL nourrit sa femelle pendant qu'elle couve.

LE FOU DE BASSAN

Son plumage d'un blanc pur et son masque noir autour des yeux font du FOU DE BASSAN un superbe oiseau. Quand il repère un poisson, il peut plonger à plus de 90 km/h.

LA STERNE ARCTIQUE

Cet oiseau à la queue fourchue est le plus extraordinaire voyageur ailé du monde.
Chaque année, la STERNE ARCTIQUE effectue un aller-retour du pôle Nord au pôle Sud !